Gilbert **Delahaye** ◆ Marcel **Marlier**

martine

baby-sitter

casterman

Martine

Joyeuse et curieuse, Martine adore s'amuser avec ses amis et son petit chien Patapouf. Ensemble, ils découvrent le monde et vivent de véritables aventures. Une chose est sûre : avec Martine, on ne s'ennuie jamais !

Alexandre

Le cousin de Martine et l'aîné de la fratrie. Il a beau être bon élève, il rouspète toujours quand arrive l'heure des devoirs…

Lisa et Manon

Âgées de deux ans, les petites sœurs jumelles d'Alexandre sont de vraies chipies. Elles ne reculent jamais devant les bêtises !

Ce soir, Martine garde
ses cousins pendant
que leurs parents
dînent chez des amis.
À dix-huit heures,
elle sonne à la porte.
– Martine ! s'écrie
Alexandre, en
l'embrassant.

– Bonsoir, tout le monde !
lance Martine.
Les jumelles, Manon et
Lisa, lui sautent au cou.
Même César, le caniche,
lui lèche la joue pour lui
dire bonjour !

Sa tante prend quelques minutes pour expliquer à Martine
le programme de la soirée.

– Maintenant, on file ! dit-elle en montant dans sa voiture.

– Au revoir, maman et papa ! Amusez-vous bien !

– Merci ! Et surtout, les enfants : soyez sages !

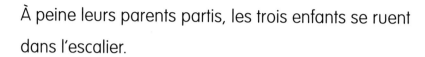

À peine leurs parents partis, les trois enfants se ruent dans l'escalier.

– Qui veut jouer à cache-cache ? lance Manon.

– Et sauter sur les lits ? ajoute Lisa.

– Non, proteste Martine. Restez plutôt ici, je vais vous lire une histoire…

– C'est la fable du lièvre
et la tortue… D'après vous,
lequel des deux gagne
la course ?

– Le lièvre ! s'écrie Lisa.
Il court plus vite !

– Mais non ! dit Manon.
Moi, je sais, c'est la tortue !

– Et maintenant ? demandent
les jumelles à la fin de l'histoire.

– Vous allez faire un puzzle.
Je vous montre : on pose
d'abord les coins
et les bords, et ensuite
les autres morceaux…
Vous voyez l'image
qui se forme ?

– Oh ! Une princesse !

Martine surveille les devoirs
d'Alexandre.

– J'ai du mal avec la conjugaison…

– Je vais t'aider, lui dit Martine.

Mais pas le temps ! Les jumelles
ont déjà fini leur puzzle…

– Place aux travaux manuels !
leur annonce Martine pour
les occuper.

Elle plie une bande de papier en accordéon, y découpe une forme…

– Je déplie… Et voilà une ribambelle !

– Attention, il n'y a qu'une paire
de ciseaux, précise Martine.
Manon, tu commences
par le découpage
pendant que
Lisa dessine,
puis on inversera.

Martine retourne voir Alexandre.
Entre-temps, il a fini son
exercice.
– Bravo ! le félicite
Martine. Il n'y a
aucune faute !

Mais, pendant ce temps,
les jumelles enchaînent
les bêtises…
– Si on faisait une nouvelle
coupe à César ? propose
Manon.

– Bonne idée ! Et on pourrait
décorer le mur !

– Mieux ! Si on se déguisait ? Regarde,
je suis une dame trèèèès chic…
– Chère mâdâme… s'amuse Lisa.
J'adooooore votre chapeau et vos
chaussures à talons !

Martine arrive à cet instant.
– Oh, les chipies ! s'écrie-
t-elle devant le fouillis.

– Il faut vous débarbouiller,
maintenant !
– Il grattouille ton gant,
Martine !

– Attendez tranquillement sur le
canapé pendant que je range,
dit Martine.

Mais, à peine installées, Manon
et sa sœur s'emparent
du téléphone…

– Allô? fait Lisa en
appuyant sur tous
les boutons.

– Commissariat
de police, bonjour!
répond une voix.

Martine attrape le combiné.
– Allô? Pardon, madame,
c'est une erreur!

– Plus question de vous laisser seules ! décide Martine. Venez m'aider

à faire réviser Alexandre. Il apprend ses tables de multiplication.

Les trois enfants réunis, Martine demande :

– Deux fois cinq ?

– Dix ! répond Alexandre.

Lisa et Manon tendent leurs dix doigts. Martine applaudit.

– Bravo ! Deux fois six ?

– Hum… se concentrent les jumelles.

Le téléphone sonne.

– Allô ? dit Martine. Bonjour, Tatie !

Oui, tout va bien ! Je te passe Lisa.

– Allô maman ? On est sages,

on n'a pas fait une seule bêtise !

Martine ne peut s'empêcher de sourire…

Leur maman a autorisé les enfants à regarder la télévision avant

de dîner.

– Pourquoi il est tout vert, ce monsieur ? demande Manon en montrant

l'écran, tandis que Lisa se cache un peu les yeux.

– Mieux vaut choisir un autre film, décide Martine.

– *Cendrillon*! réclament les jumelles.

– Beurk, c'est pour les filles! proteste Alexandre.

– Alors un film de Charlot, tranche Martine. C'est drôle et ça plaira
à tout le monde.

Quelques minutes plus tard, les enfants rient aux éclats. Même César
s'amuse comme un fou!

À la fin du film, Martine
demande :
– Qui veut m'aider
à préparer le dîner ?

– Nous ! s'écrient Lisa et Manon.
On va faire une bonne sauce.
– De l'huile, du vinaigre, du sel,
du poivre… quoi d'autre ?

– Du sucre ! Ça sera bien
meilleur !
– Non ! intervient Martine.
Mais trop tard… Il faut tout
recommencer.

– Maman ajoute parfois
des oignons… mais ça pique
les yeux !
– À table ! lance Martine,
le repas est servi !

Après le dîner, c'est l'heure du bain.

Martine savonne les jumelles qui jouent avec les bulles d'Alexandre.

Il y a de la mousse partout !

César renifle Manon.

Comme elle sent bon !

– Mettez-vous en pyjama,
dit Martine.

– C'est le mien !

– Non, il est moi !

Soudain…

… Boum ! Manon glisse sur le carrelage !

– Toute cette agitation, dit Martine, ça veut dire que vous êtes fatiguées !
Finissez d'enfiler vos pyjamas, puis ce sera l'heure d'aller au lit.

Martine a raison. Lisa somnole déjà dans ses bras.

– Bonne nuit, mes petits diables chéris… Dormez bien !

Tout est calme, maintenant.

Manon et Lisa dorment. Alexandre lit
tranquillement dans sa chambre.

« C'est fatigant, d'être baby-sitter ! »
pense Martine en s'assoupissant
sur le canapé.

Mais qui surgit dans son rêve ?
Lisa et Manon… prêtes à faire
une nouvelle bêtise !

Retrouve **martine** dans d'autres aventures !

martine au parc

martine garde son petit frère

martine fête son anniversaire

martine jardine

martine fait du vélo

martine petit rat de l'opéra

martine à la fête des fleurs

martine fait la cuisine

martine apprend à nager

martine est malade

martine en vacances

martine prend le train

martine fait de la voile

martine et le petit moineau

martine et le petit âne

martine fête maman

martine
en montgolfière

martine
à l'école

martine
découvre la musique

martine
a perdu son chien

martine
dans la forêt

martine
et le cadeau
d'anniversaire

martine
et la sorcière

martine
un mercredi
pas comme les autres

martine
la nuit de Noël

martine
déménage

martine
se déguise

martine
et les chatons

martine
et les lapins
du jardin

martine
à l'hôpital

martine
baby-sitter

martine
en classe de découverte

Casterman
Rue Haute 139
1000 Bruxelles
Belgique

www.casterman.com

ISBN : 978-2-203-10688-8
N° d'édition : L.10EJCN000496.A006

© Casterman, 2016
D'après les albums de Gilbert Delahaye et Marcel Marlier.
Achevé d'imprimer en août 2021, en France, par PPO GRAPHIC
(10 rue de la Croix Martre, 91120 Palaiseau).
Dépôt légal : mars 2016 ; D.2016/0053/101
Déposé au ministère de la Justice, Paris (loi n°49.956
du 16 juillet 1949 sur les publications destinées à la jeunesse).